Este libro pertenece a:

_____

_____

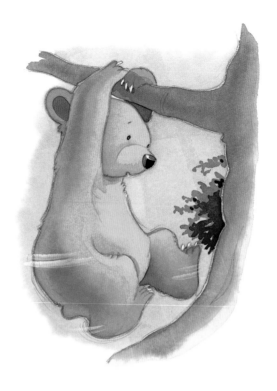

Texto de Jillian Harker
Ilustraciones de Kristina Stephenson

Copyright © 2006 de la edición española

Parragon Books Ltd
Queen Street House
4 Queen Street
Bath BA1 1HE, RU

Traducción del inglés: Mònica Artigas Romero
para Equipo de Edición S.L., Barcelona
Redacción y maquetación: Equipo de Edición S.L., Barcelona

ISBN 1-40546-236-1

Printed in China
Impreso en China

Te quiero, MAMI

p

—¡Mírame, mami! —exclamó Osito—.
¡Voy a pescar!
—Un momento —contestó Mamá Osa—.
Antes, debería explicarte algo.

Pero Osito hizo oídos
sordos y echó a correr.

Mamá Osa corrió detrás de él.

Osito saltó
a una roca.

Luego alargó
la patita para
pescar.

Entonces Osito empezó a tambalearse y a desequilibrarse.

¡CHOOF!

—¡Se me han quitado las ganas de pescar!
—pensó Osito.

—¡Bien hecho! —sonrió Mamá Osa—. Pero ahora mírame tú a mí. Antes de pescar tienes que aprender a nadar.

El pequeño oso observó a su mamá, que daba brazadas con mucha soltura.

—Inténtalo de nuevo —dijo Mamá Osa.

Osito hizo exactamente lo que su mamá acababa
de enseñarle.

—¡Ahora sí! —pensó—. ¡Cómo quiero a mi mami!

—¡Mírame, mami! —exclamó Osito—. ¡Voy a recoger unas frutas del árbol!

—Espera un segundo —respondió Mamá Osa—. Antes, debería explicarte algo.

Pero Osito ya había
empezado a trepar.

Osito gateó
por una rama.

Luego alargó la
patita para alcanzar
una jugosa fruta.

Entonces Osito empezó a balancearse y a columpiarse.

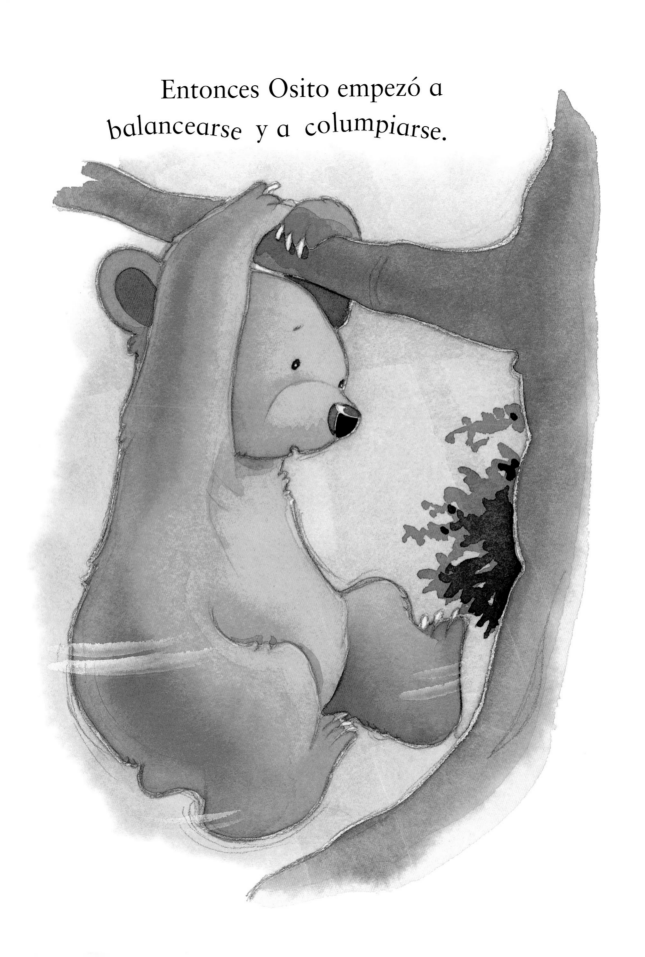

¡PUMBA!

—¡Se me han quitado las ganas de trepar!
—pensó el pequeño oso.

—¡No está mal! —le
animó Mamá Osa—.
Pero ahora mírame tú
a mí. Antes de recoger
fruta tienes que
aprender a trepar.

El pequeño oso observó
a su mamá, que
mantenía el equilibrio
en todo momento.
—Inténtalo de nuevo,
pequeño —dijo.

Osito hizo lo mismo que su mamá.
—¡Ahora sí! —pensó—. ¡Cómo quiero
a mi mami!

—¡Mira, mami, esos ositos! —sonrió—.
¡Voy a jugar con ellos!
—Un momento, cariño —dijo Mamá Osa—.
Antes, debería explicarte algo.

Osito le hizo caso y atendió a lo que tenía que decirle.

—Dime —contestó.

—Sé bueno con tus amigos —le aconsejó Mamá Osa.
Después, lo envolvió entre sus brazos y jugaron
cariñosamente.

—¡Cómo quiero a mi mami! —pensó Osito. Entonces jugó con los otros ositos como su mamá le había enseñado.

¡Y se lo pasaron bomba!

Osito estaba rendido cuando llegaron a la guarida,
pero tenía que decirle algo a su mamá.

—Quería decirte... —empezó Osito.

—Dime —contestó Mamá Osa.

—Que te quiero, m... —dijo. El pobre
Osito no tuvo fuerzas para terminar
la frase.

Mamá Osa besó la cabecita de su pequeño.

—Yo también te quiero —susurró.